50 Consejos de Oro para tu

PERIQUITO

AMANDA O'NEILL

HISPANO EUROPEA

La autora   Amanda O'Neill nació en Sussex en 1951 y estudió en la Universidad de Exeter, donde se graduó en literatura medieval. Siempre se ha rodeado de diversas mascotas, desde conejos y jerbos hasta caracoles gigantes y correderas sibilantes. Actualmente vive en los Midlands, Inglaterra, con su marido y su hijo, junto con cinco perros, un gato, hamsters de Roborowski y una colección de peces de colores.

Índice

INTRODUCCIÓN

1 A los periquitos les gusta la compañía humana

Convivir con ellos puede ser una diversión excelente, y sólo se requieren cuidados sencillos y baratos. No es sorprendente que este amistoso, juguetón y polícromo miniloro se haya convertido en el pájaro mascota más popular en todo el mundo. Sin embargo, como todas las mascotas, los periquitos necesitan tiempo y compromiso. Necesitan compañía, ejercicio diario fuera de la jaula y protección de los gatos, los humos y posibles vías de huida.

Una advertencia: pueden ser desaliñados (¡no puedes limpiar la casa de un periquito!) y también ruidosos. Antes de comprar uno, asegúrate de que estás preparado para aceptar la responsabilidad inherente.

Arriba: El periquito es el pájaro mascota más abundante en todo el mundo.

2 Los periquitos pertenecen a la familia de los loros

En su Australia nativa, viven en bandadas enormes, que pueden llegar a ser de miles de aves. Su hábitat natural son prados secos, y en épocas de sequía, tienen que volar centenares de kilómetros en búsqueda de alimentos y de agua. Los periquitos salvajes son más pequeños que sus primos domesticados, y conservan el esquema original de color, con plumaje verde claro, con cabeza amarilla, y espalda y alas con franjas negras. Su nombre en inglés, «Budgerigar» procede de una palabra aborigen (Betcherrygah), que significa «buena comida», pero actualmente les conocemos mejor como buenas mascotas.

Arriba: En la naturaleza, los periquitos son pájaros que viven en bandadas enormes.

3

Los primeros periquitos llegaron a Europa en 1840

En Europa criaron con éxito a partir de 1850, pero lo que motivó el entusiasmo por ellos fue el desarrollo de las mutaciones de color. La primera mutación registrada (amarillo) ocurrió en 1870, seguida unos años más tarde por el color azul. En los años de la década de 1920 había ya una amplia gama de colores que alcanzaban precios astronómicos. Unos diez años más tarde cayeron los precios, y los periquitos de brillantes colores llegaron a estar ampliamente disponibles como mascotas. Actualmente hay periquitos con más variedades de colores que la mayoría de otras especies. Los tipos inglés y americano son diferentes y los criadores ingleses han desarrollado unos pájaros de exposición, mayores y con colores más vibrantes.

Ideas de Oro

PLUMEROS

De vez en cuando surgen periquitos con plumas anormalmente largas y blandas, como un sedoso gallo Bantam, y se les conoce como «plumeros o crisantemos». A diferencia de los gallos Bantams, no son una auténtica variedad de cría, sino ejemplares defectuosos. Tienen problemas de salud, no pueden volar y raramente viven mucho tiempo.

MEZCLAS Y COMBINACIONES

A menudo, se combina en el mismo pájaro más de una variante. Por ejemplo, un azul oscuro opalino canela es un pájaro con color básico azul oscuro y marcas marrones (canela) que finalizan en la punta de las alas (el modelo opalino). ¡Los nombres de la variedad pueden acabar siendo larguísimos!

ALAS FANTÁSTICAS

Se ha desarrollado una considerable variedad en las marcas de las alas. Los spangles (lentejuelas) tienen las marcas de sus alas en el reverso, con un borde oscuro en cada pluma, mientras que los de alas claras no tienen marcas en ellas, pues son de color pálido (generalmente blanco o amarillo), en contraste con el color del cuerpo más oscuro.

Cuatro colores básicos, pero muchos matices

Entre los periquitos no se encuentran colores negro, marrón, rojo o rosado, sino cuatro colores básicos: verde, amarillo, azul y blanco. Sin embargo, éstos comprenden una amplia gama de matices claros, oscuros y medianos, y se presentan en diversas combinaciones. Los periquitos cuyo modelo de color sigue el tipo salvaje (con marcas negras en las alas y topos en las mejillas) se conocen como normales. Se presentan en verdes (claros, oscuros y oliva), azules (azul celeste, cobalto, malva y violeta) y grises. El verde claro normal y el azul celeste son las variedades más comunes entre los periquitos mascota.

Izquierda: Los azules se presentan en diversos matices, desde el pastel suave al brillante.

Derecha: En la naturaleza se han producido a veces variaciones de color desde el verde original, pero nunca se han extendido. ¡Destacar de la bandada atrae a los predadores! Se tardaron años de trabajo y dedicación por parte de los criadores de periquitos para producir el increíble espectro de colores del que disfrutamos actualmente.

Selección de tipos

Las variedades normales tienen franjas negras en las alas y dorso de la cabeza y puntos negros en las mejillas. En otras variedades, estas marcas pueden ser marrones (canela), grises (alas grises), muy pálidas (alas blancas), o suavemente moteadas (lentejuelas).

Hay también opalinos con marcas reducidas en la punta de las alas y dorso de la cabeza, albinos (blancos) y lutinos (amarillos) sin marcas, pintos con marcas o franjas veteadas, e incluso «arco iris», que combinan verde, amarillo y azul. Todas las variedades son igualmente resistentes y encantadoras.

Izquierda: Los colores incluyen el gris, lutino (amarillo), azul, verde y combinaciones diversas de los mismos. ¿Qué otro pájaro ofrece tantas opciones?

Penachos y copetes

Aparte del color, sólo hay una variación con éxito del tipo básico de periquito: el penacho. Se presenta de tres formas: penacho completo (o penacho circular), con un bonete de plumas blandas sobre la cabeza, medio penacho (o penacho semicircular), con un bonete más pequeño que cubre sólo parte de la cabeza, y copete, con sólo un pequeño penacho erguido en la parte delantera de la cabeza. Una variante mucho menos común es el periquito de plumas largas, tanto que impiden el vuelo, un inconveniente que explica el porqué nunca ha llegado a ser popular.

Derecha: Las plumas deformadas son características de un «plumero».

SELECCIÓN DE UN PERIQUITO

Dónde comprarlo

La mayoría de tiendas de mascotas ofrecen una buena selección de periquitos, así como jaulas, alimentos, etc. Como alternativa, los criadores anuncian frecuentemente excedentes para la venta en los periódicos locales o en los tablones de avisos de los veterinarios. Trata sólo con tiendas o criadores donde los pájaros estén bien alojados, bien atendidos y domesticados, y donde sus dependientes sean expertos y puedan responder a tus preguntas. Si deseas una variedad específica de color, quizá tengas que consultar una revista especializada para localizar a un criador.

Arriba: Los pájaros criados en aviarios quizá no sean tan mansos que se posen en la mano, pero deben estar acostumbrados a la presencia humana y no asustarse cuando les visites.

Cresta

Membrana cérea

Orificio nasal

Pico

Nuca

Manto de las alas

Rabadilla

Pecho

Plumas de la cola (rectrices)

Derecha: Un pájaro sano tiene una apariencia pulcra, vivaz y alerta. En los pájaros, el desaliño no es atractivo –es una señal de mala salud–.

Selección de un pájaro sano

Un pájaro sano tendrá una apariencia vivaz, con plumaje brillante, ojos relucientes y expresión alerta. Comprueba que las plumas de las alas y de la cola aparezcan sin daños, patas limpias con cuatro dedos normales, y un pico bien formado. Sobre todo, un pájaro sano debe ser activo y vivaz, y ha de sociabilizar con sus compañeros de jaula. Las plumas desaliñadas, una zona anal sucia, una respiración ruidosa, o secreciones de los ojos o de la nariz, indican problemas, y también han de evitarse los pájaros con apariencia sana que comparten jaula con otros enfermos.

Derecha: Los periquitos machos y hembras difieren en el color de la membrana cérea: azul en los machos, marrón en las hembras.

Hembra   Macho

¿Macho o hembra?

Ambos sexos son mascotas igualmente satisfactorias. Puede distinguirse el sexo por el color de la membrana cérea, que suele ser azul en los machos adultos, y marrón en las hembras adultas. En algunas variedades, tales como los albinos, los lutinos y los pintados, los machos tienen una membrana cérea de color carne.

¿Qué edad? Los periquitos bebés están listos para dejar el hogar entre las seis y las nueve semanas, y a esta edad es fácil domesticarlos. Los jovencitos pueden ser reconocidos por su membrana cérea rosada (el área cerosa alrededor de los orificios nasales) y por la franja en la cabeza que continúa hacia abajo por la frente. Alrededor de los tres meses de edad empiezan a desaparecer estas franjas, y la membrana cérea cambia de color (azul en los machos, marrón en las hembras). Los pájaros de más de tres meses tardarán más en acostumbrarse a un nuevo hogar.

Control de los picos

Controla siempre el pico cuando compres un periquito. El pico superior debe encajar claramente sobre el inferior. Si compras un pájaro con un pico inferior sobresaliente (que se proyecta sobre el superior) o cruzado, tendrá dificultad para alimentarse y tú tendrás problemas de cuidado a largo plazo.

Transporte a casa

El vendedor te dará una caja de cartón con agujeros para ventilación. El viaje a casa le producirá estrés, por tanto hazlo tan corto como sea posible. Sujeta la caja con las manos, protegiéndola de las sacudidas. En un día frío, envuélvela holgadamente con tu abrigo, sin tapar los agujeros de ventilación.

¿Un pájaro o dos?

Los periquitos necesitan compañía. Puedes tener una relación más estrecha con uno que con dos, pero esto sólo es justo para el pájaro si estás en casa con él la mayor parte del día. A menos que dispongas de mucho tiempo para tu periquito, dos pájaros serán mucho más felices que uno, y te divertirán con sus travesuras. Elige un macho y una hembra (no criarán a menos que les proporciones una caja-nido) o dos machos: dos hembras podrían pelearse.

Izquierda: Para el transporte a casa, un periquito está más seguro en una caja pequeña que sufriendo traqueteos en una jaula grande.

ALOJAMIENTO DE TU PERIQUITO

11

Cuanto mayor sea la jaula, mejor

Los periquitos son pájaros activos que necesitan espacio para volar, trepar y jugar. Muchas jaulas son pequeñas prisiones estrechas, que apenas permiten saltar de un columpio a otro. El tamaño mínimo de una jaula debería ser 50 cm de largo, 30 cm de ancho y 45 cm de alto, y más grande aún a ser posible. Estas medidas ya permiten una casa cómoda. Sin embargo, no importa lo grande que pueda ser la jaula, ya que para mantener la salud del periquito, éste debe salir diariamente para volar.

Derecha: Un kit básico inicial incluye recipientes para comida y agua, escaleritas, columpios y juguetes, así como la propia jaula.

12

El diseño de la jaula también es importante

La anchura de la jaula es más importante que la altura. Los periquitos vuelan horizontalmente y, por tanto, una jaula estrecha y alta proporciona menos espacio útil que una más baja pero más ancha. Los barrotes deben ser horizontales, no verticales, para permitir que tu mascota se ejercite trepando. No deben estar separados más de 12 mm, con el fin de que el periquito no se atrape la cabeza con ellos. Una jaula bien diseñada también debe ser fácil de limpiar, con una bandeja deslizante en la base para hacer que la limpieza diaria del suelo sea una tarea sencilla.

13

Escoge cuidadosamente el emplazamiento de la jaula

Escoge una habitación donde tu periquito pueda disfrutar de compañía, pero no ce un actividad ruidosa constante –y, por supuesto, que no sea la cocina, donde los humos de los guisos y los cambios de temperatura afectarían al pájaro–. Asegúrate de que la jaula o esté expuesta a la luz directa del sol o a las corrientes de aire. No es decuado situarla directamente delante de una ventana, ya que estaría demasiado caliente en verano y demasiado fría en vierno. Si se coloca la ula en un rincón, quedará rotegida de golpes o blisiones.

erecha: Un aviario en el exterior ebe incluir un resguardo contra as inclemencias atmosféricas.

Una jaula no es suficiente

os periquitos necesitan disponer de espacio ara hacer ejercicio. Los pájaros que están n un aviario exterior pueden cisfrutar volando, pero no llegarán a ser tan mansos. Para los que están en el interior, puedes construir un aviario donde puedan volar, pero no siempre se dispone de bastante espacio. Una jaula adecuada es suficiente, pero déjale que salga cada día un par de horas para explorar la habitación. Por consiguiente, al ubicar la jaula conviene escoger la habitación más adecuada para volar libremente (ver páginas 20-21).

14

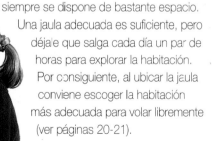

Izquierda: El diseño de la jaula debe satisfacer las necesidades de espacio del pájaro, así ccmo la posibilidad ce una limpieza fácil por parte del cuidador.

Ideas de Oro

Los huesos de sepia proporcionan calcio, así como ejercicio para el pico.

Las pértigas no sirven sólo para posarse

15

Unas pértigas adecuadas son vitales para mantener sanas las patas. Los periquitos necesitan una gama de pértigas de diferentes anchuras, por ejemplo de 12 a 20 mm.
Si todas las pértigas fueran del mismo tamaño, los músculos menos ejercitados de las patas conducirían a deformidades o lesiones.

Las ramitas de árboles frutales ofrecen más variedad de agarre que las clavijas industriales. Coloca las pértigas tan separadas como sea posible, pero nunca una sobre otra, para evitar colisiones. De vez en cuando se habrán de reemplazar las pértigas picoteadas.

Izquierda: Las tiendas de mascotas tienen una amplia variedad de pértigas de plástic[o] o industriales.

Cobertura del suelo

16

Las vainas de semillas y las deyecciones ensucian en poco tiempo el suelo de una jau[la], por lo cual se necesita una cobertura desechable. La arena o la gravilla son ideales[.] las hojas de lija, en venta en las tienda[s] de mascotas, facilitan la limpieza[,] pues pueden cambiarse cada[.] día. Algunas jaulas tienen una[.] parrilla metálica sobre una bandeja extraíble, que permi[te] que los desechos caigan a través suyo. Esto protege a [los] pájaros de sus deyecciones[,] pero les priva de la diversión[.] de picotear el suelo de la jau[la].

El papel de lija se coloca encim[a] de una bandeja extraíble.

PREPARACIÓN DE LA JAULA

17 Recipientes para alimentos y agua

Arriba: Un bol para comida, que se enganche a los barrotes, mantiene limpias las semillas y facilita la accesibilidad.

Los alimentos y el agua deben ser protegidos de la suciedad, por tanto los recipientes abiertos son inadecuados. Elige bols de comida y de agua que se adhieran a los alambres de la jaula y que lleven protecciones de plástico para mantener limpio el contenido, y nunca los coloques directamente debajo de las pértigas. Para mantener limpia el agua, una botella para beber, que suministre agua por gravedad, y que esté adherida a los barrotes, es mejor que un bol. Asegúrate de que el pitorro sea de metal fuerte, con el fin de que resista el picoteo.

18 El baño es esencial, no un lujo

Los baños regulares mantienen limpias y sanas las plumas, y además proporcionan diversión. Basta poner un platillo de agua tibia en el suelo de la jaula, y extraerlo inmediatamente después de su uso. Sin embargo, una caseta de baño especial de plástico, diseñada para colgarla en la abertura de la puerta de la jaula, es más pulcra. Escoge una cuyo suelo tenga estrías, de modo que las patas del pájaro se agarren bien. No todos los periquitos disfrutan con un baño, y a esos se les puede rociar con un pulverizador.

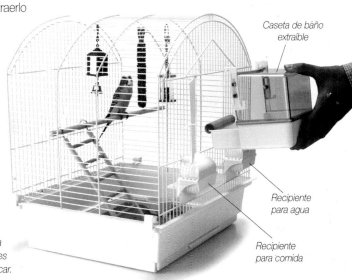

Caseta de baño extraíble

Recipiente para agua

Recipiente para comida

Derecha: Una caseta de baño unida a la puerta de la jaula previene la suciedad, y es fácil de poner y de secar.

ALIMENTACIÓN

19

Una combinación de semillas constituye la base de la dieta del periquito

En las tiendas para mascotas se pueden encontrar diversas combinaciones de semillas especiales para los periquitos. Entre ellas, alpiste, mijo, colza y linaza. Algunas mezclas de semillas también contienen vitaminas y suplementos minerales en forma de píldoras. Los periquitos picotearán la vaina de las semillas, y comerán sólo el grano, por lo cual es esencial retirar cada día los desechos, para impedir que tapen la comida restante (los pájaros no revuelven bajo las vainas para come Compra los alimentos en pequeñas cantidades, pues podrían estropearse si se almacenan durante demasiado tiempo.

Bróculi

Zanahoria

Combinación de semillas

Hortalizas secas

Espinacas

Pamplina

20

Las verduras y las frutas también son importantes

Suplementa la mezcla de semillas diariamente con verdura fresca para mantener sano a tu periquito. El bróculi, el amargón, la pamplina, la hierba cana, las espinacas, y las semillas frescas germinadas, son todas ellas adecuadas, y también puedes ofrecerle una rodaja de manzana o de zanahoria sujeta entre los barrotes de la jaula. Evita las verduras y frutas que hayan estado expuestas a pesticidas, o contaminadas, y lávalas siempre antes de ofrecerlas a tu periquito. Nunca le des verduras marchitas (ni lechuga, que es inadecuada), y retira los restos sin comer antes de que lleguen a ese estado.

Manzana

21

Debe haber agua limpia disponible en todo momento

Cambia el agua para beber dos veces al día, para conservarla limpia y libre de bacterias. Los bols de agua deben controlarse y rellenarse más frecuentemente que las botellas de agua. El agua del grifo es aceptable, pero si lleva mucho cloro, hay que dejarla reposar en un cuenco unas cuantas horas para que éste se disperse antes de utilizarla para rellenar las botellas de agua. Si tienes dudas sobre la calidad del agua de tu grifo, la alternativa segura (pero más cara) es el agua mineral sin gas.

Derecha: Esta fuente de agua por gravedad mantiene el agua limpia y reduce la suciedad.

SEMILLAS GERMINADAS
Para germinar semillas, pon una cucharada entera de una combinación de semillas en un cuenco de agua y déjalo en un lugar caluroso. Después de 24 horas, aclara y déjalas sumergidas otras 24-48 horas, en cuyo momento habrán brotado. Aclara de nuevo y desecha los brotes mohosos antes de servir.

¿CUÁNTO?
Los periquitos necesitan comer poco y con frecuencia. Como regla orientativa proporciónale de una y media a dos cucharaditas de té de semillas al día, rellenando el bol correspondiente al menos una vez al día, y retirando los desechos dos veces al día. Las frutas y las verduras deben comprender aproximadamente una cuarta parte de la dieta diaria.

Derecha: Los granos de arena son esenciales para permitir que los pájaros digieran las semillas duras.

IMPORTANCIA DE LA ARENISCA
Los periquitos necesitan comer arenisca para digerir sus alimentos, pues tragan las semillas enteras, y las trituran dentro de la molleja con ayuda de las partículas de arena. En las tiendas de mascotas venden arenisca adecuada para tal fin. Introduce un botecito en la jaula, y rellénalo periódicamente.

Ideas de Oro

Los bocaditos sanos pueden servirse a diari◄

¿GORDO O EN FORMA?

Para controlar si tu periquito tiene el peso correcto, observa su pecho. Si le sobresale el esternón, está demasiado delgado. Si el pecho es prominente y tapa el esternón, está demasiado gordo. ¡Lo correcto es un pecho plano!

Arriba: Una hoja de espinaca es una golosina sana y sabrosa, con la cual puedes ganarte la confianza de tu mascota.

Entre ellos figuran porciones de frutas, tales como manzana, uva, guayaba, kiwi, mango, melón, nectarina, naranja, melocotón, pera, granada, ciruela, fresa o mandarina. Son aceptables la mayoría de frutas adecuadas para el consumo humano, con la excepción del aguacate, que debe evitarse, pues puede ser tóxico. Hay que extraer las semillas de las frutas antes de servirlas. Algunos periquitos disfrutarán con una pequeña cantidad de proteínas, tales como carne magra guisada, queso, huevo o yogur, pero hay que tener cuidado y retirar pronto las porciones sobrantes, y no pasarse nunca con los productos lácteos.

Melocotón

Uva

Kiwi

Mango

Ciruela

USO DE LAS GOLOSINAS

El principal propósito de las golosinas es hacer más interesante la vida para tu mascota, pero también son muy útiles para ganarte su confianza. Un trocito particularmente apetitoso de alimento hará que un pájaro tímido esté más dispuesto a subir a tu mano y le enseña asociación con tus bocaditos.

¿Deben ingerir los periquitos comida humana?

SUPLEMENTOS DE LA DIETA

Un periquito sano, con una dieta equilibrada, con alimento fresco y variado, no es probable que necesite suplementos de vitaminas o minerales. Pueden ser necesarios esos suplementos si el pájaro es muy joven, si está enfermo o lesionado, tenso o poniendo huevos y empollando.

Es improbable que una golosina ocasional de tu plato cause algún daño. Como regla general, si las personas pueden comer algo, también pued◄ hacerlo los periquitos —y si no es bueno para las personas, tampoco lo ◄ para ellos–. Dado que la capacidad de ingestión de un periquito es muchísimo menor que la de una persona, no puede desperdiciar espac◄ digestivo con comida basura. Hay que evitar los alimentos pegajosos, pues pueden obstruir el pico, causando problemas. Algunos alimentos ◄ bebidas son realmente peligrosos para los periquitos, entre ellos ciertas semillas de frutas, aguacate, chocolate, café y alcohol.

BOCADITOS Y GOLOSINAS

24

Los bocaditos comerciales pueden engordar

En las tiendas de mascotas se encuentra una gama de semillas, barritas de frutas, galletas de huevo, etc. que les gustan a los periquitos. Sin embargo, engordan mucho, pues llevan miel o productos similares, y es mejor no dárselas más que una vez al mes. Lo mismo es aplicable a las ramitas de mijo, también de su agrado. El problema es que el mijo engorda, y tu pájaro ya obtiene suficiente con su combinación de semillas. Guarda las ramitas de mijo para una ocasión especial, por ejemplo cada quince días. ¡Los periquitos gordos no son pájaros sanos!

Pera

Bocadito con combinación de semillas

Barrita de frutas

Ramita de mijo

Izquierda: Hay una amplia gama de frutas adecuadas para los periquitos. Prueba diferentes clases para concretar cuáles prefiere. Las porciones han de ser pequeñas para evitar problemas intestinales, y retira pronto las sobras.

Derecha: Las ramitas de mijo proporcionan ejercicio para las patas y el pico.

Derecha lejos: El pico corto y robusto, y la lengua fuerte y musculada son instrumentos especializados para agarrar semillas y frutas.

CÓMO HACERSE AMIGOS

25

El recién llegado

Dale tiempo a tu nuevo
periquito para instalarse,
manteniendo su nuevo entorno
tan tranquilo como sea posible. No podrá relajarse si hay ruidos fuertes,
movimientos bruscos o un montón de actividades constantes. Una vez que
empiece a comer y a arreglarse las plumas, está listo para hacerte caso.
Acércate tranquilamente a la jaula con comida y agua fresca, y pasa un cuarto de hora, más o menos,
hablándole suavemente, repitiendo regularmente su nuevo nombre.
Haz esto cada día, y pronto él asociará tu acercamiento con
alimento y compañía, además de aprender su nombre.

*Arriba: Los acercamientos bien
intencionados pueden asustar
un pájaro nuevo.*

*Abajo: Tu periquito
aprenderá
gradualmente a ver
tu dedo como una
pértiga segura.*

Adiestramiento
con la mano

26

Tan pronto como tu
periquito esté cómodo
con tu presencia, comienza el adiestramiento con la
mano. Coloca cada día calmadamente tu mano dentro
de la jaula con un poco de comida en la palma. Has de
estar muy quieto y hablar con suavidad. Eventualmente
(y quizá tarde algún tiempo), el pájaro adquirirá bastante
confianza para comer de tu mano. ¡No te apresures! Una vez
esté completamente cómodo con la alimentación
de la mano, puedes pasar a acariciarle
suavemente el pecho y la parte baja del
abdomen. La siguiente etapa es llevar tu dedo
hacia sus patas y animarle a posarse en el
mismo. La paciencia es muy importante para
establecer una relación con tu mascota.

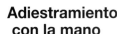

27 Háblale constantemente

Utiliza constantemente tu voz para tranquilizar a tu nueva mascota, la cual no entenderá las palabras, pero tú puedes comunicarle tus buenas intenciones por el tono. La repetición constante y persistente le permitirá aprender su nombre y algunas órdenes sencillas. Por ejemplo, utiliza una palabra fija, como «casa» cuando quieras que vuelva a su jaula. Repítela cada vez que desees que vuelva, y premia siempre su retorno, aunque sea lento, con una golosina favorita.

LOS PRIMEROS DÍAS
Durante las primeras semanas con tu periquito, compensa tener un cuidado extra para mantener la casa tranquila y pacífica y protegerle de sustos. La música alta, los gritos, los portazos, o los programas ruidosos de televisión, deben ser evitados, así como los cambios súbitos en la intensidad de la luz.

¡NO LE AGARRES!
Nunca agarres a tu pájaro ni trates de cogerle en vuelo, Si tienes que alcanzarle, utiliza un paño o una red suave, no tu mano. El adiestramiento con la mano hace la vida más fácil para ti y tu periquito, ya que esos pájaros se posarán en un dedo y dejarán que les traslades.

RECORTE DE LAS ALAS
A veces es recomendable recortar las plumas de la alas de un nuevo periquito, de modo que no pueda escaparse volando cuando intentas hacer amistad. Sin embargo, lo más probable es que esto le cause estrés (e incluso angustia). La paciencia es un instrumento mejor que la incapacitación temporal de tu mascota.

Izquierda: Los periquitos son criaturas muy sociales, que son mucho más felices viviendo en parejas que solos. Es tan fácil domesticar a dos pájaros como a uno solo –los periquitos agradecen la compañía humana así como la de otros pájaros–.

EJERCICIO Y JUEGOS

28

Los periquitos necesitan ejercicio

Dedica mucho tiempo la primera vez que dejes que tu mascota salga de la jaula. Ante todo, asegúrate de que las puertas estén cerradas. Insta al periquito a que se pose sobre tu dedo, luego retira suavemente la mano de la jaula, hablándole al mismo tiempo. Es probable que él quiera volar por la habitación y explorar. Al principio es mejor dejarle que se tome su tiempo antes de volver a la jaula. Si quieres atraparlo para meterlo en la jaula, la próxima vez será más difícil.

Izquierda: Una vez que tu periquito considere a tu dedo como una pértiga segura, puedes empezar a adiestrarle para que vaya a tu mano cuando le llames. Usa su golosina favorita para estimular su retorno, y haz que el tono de tu voz suene suave, calmado y acogedor.

Abajo: Deja abierta la puerta de la jaula cuando tu periquito esté disfrutando con su ejercicio de vuelo libre, de modo que pueda entrar en ella si decide hacerlo. La jaula es su casa –¡no le cierres fuera de ella!–.

29

La primera excursión

Una vez que tu periquito esté adiestrado con la mano, necesitará volar a diario fuera de la jaula, en una habitación a prueba de pájaros. Bloquea todas las vías de escape y elimina riesgos tales como plantas venenosas, trampas potenciales (botes, cajones abiertos, papeleras), vasijas de agua abiertas (incluso floreros) o sustancias peligrosas (alcohol, cosméticos, tinta, plomo, adhesivos, etc.). Hay que tapar las ventanas y los espejos para impedir que el pájaro tropiece queriendo volar a través de ellos. Finalmente, advierte a los otros miembros de la familia de que el periquito está suelto, con el fin de que no abran súbitamente la puerta.

30

Derecha: La jaula de un periquito es su casa, pero también disfrutará con las excursiones por la habitación.

Abajo: Puedes comprar una amplia variedad de juguetes, espejitos y campanitas para hacer más interesante la vida de tu periquito.

Juegos y juguetes

Los periquitos son curiosos y juguetones por naturaleza. Necesitan el estímulo de juguetes dentro de la jaula, y en la libertad de una habitación encontrarán toda clase de cosas con las que divertirse. En realidad, es necesario que le enseñes la palabra «No», porque es propenso a descubrir alguna diversión destructiva. Para disuadirle de hacer travesuras, puedes idear algún juego para practicarlo con él, escondiendo juguetes para que los encuentre, o enseñándole a entretenerse con un juguete determinado cuando se le ordene.

USO DE LOS ALIMENTOS
Nunca des comida a tu periquito fuera de su jaula. Aprenderá así que la comida sólo está disponible en la jaula, de modo que volver sea tan reconfortante como salir. Deja abierta la puerta de la jaula cuando él esté fuera.

NO LE RIÑAS
Para un periquito, arrancar papel de la pared o hacer un agujero en una alfombra son juegos como cualquier otro. Reñirle o castigarle por esta conducta indeseable sólo servirá para perjudicar su confianza con respecto a ti. Basta que digas «No» y le ofrezcas una distracción o le devuelvas a su jaula por un rato.

AIRE FRESCO
En verano, puedes colocar su jaula al aire libre durante un rato. El sol es bueno para él, pero no le dejes nunca sin protección expuesto directamente al sol. A muchos periquitos también les gusta pasar diez minutos, más o menos, bajo una lluvia ligera, tomando un baño natural.

LIMPIEZA DE LA JAULA

31 Tareas diarias

Extrae cada día los restos de alimentos y las deyecciones. Cambia la lámina de lija o, si has escogido arena o gravilla para cubrir el suelo, extrae las partes manchadas con una cuchara y sustitúyelas por material fresco. También es necesario limpiar las pértigas sucias. Cada mañana deben vaciarse los bols de comida, lavarlos con agua caliente y secarlos bien antes de rellenarlos. Rellena la botella de agua y no olvides eliminar las vainas del bol de alimentos dos veces al día.

Derecha: ¡La higiene es importante! En la naturaleza los pájaros pueden apartarse de la suciedad que originan. Un pájaro enjaulado depende de ti para mantener su casa limpia y en orden.

32 Tareas semanales

Una vez a la semana, limpia toda la jaula y todo su contenido a fondo, con agua caliente o con un desinfectante adecuadamente diluido que sea adecuado para mascotas. Nunca uses detergentes caseros, ya que son peligrosos para los pájaros. Lava y cepilla los barrotes, friega las pértigas y los juguetes, y reemplaza las ramitas picoteadas cuando sea necesario. No olvides rellenar el pote de granos de arena. Las mascotas adiestradas con la mano pueden dejarse sueltas por la habitación durante las sesiones de limpieza, pero es posible que prefieras colocar a tu mascota en una jaula de repuesto mientras trabajas.

33

Kit de limpieza

No es aconsejable limpiar la jaula de tu pájaro con el mismo equipamiento utilizado para los platos de la familia, por lo que conviene tener un bol grande aparte para lavar los cuencos de alimentación, los juguetes, etc. Necesitarás un rascador, un pequeño cepillo de fregar, y un desinfectante adecuado. Puede ser útil tener una jaula de repuesto para alojar a tu pajarito mientras trabajas. Si le dejas suelto para que vuele libremente durante la limpieza, ten a mano una red o un paño suave para cogerle en caso de emergencia.

Derecha: Los pájaros necesitan un ambiente limpio para poder mantener sus plumas limpias y sanas.

Arriba: Los pájaros pueden ser desordenados en sus jaulas, pero son escrupulosos con la higiene personal. Las plumas requieren un acicalado constante con el pico y las garras para mantenerlas limpias, flexibles, impermeables y en buen estado.

34

Desinfectantes

Incluso una jaula que parezca limpia necesitará una desinfección periódica, pues pronto acumula suciedad, polvo, restos de comida, deyecciones y polvillo de plumero, que son un campo abonado para las bacterias. Los desinfectantes sólo actúan sobre una superficie que haya sido previamente rascada. Cualquier material orgánico, tal como deyecciones incrustadas, que permanezca en la superficie, impedirá que el desinfectante surta efecto. Después de desinfectar la jaula, aclárala siempre a fondo con agua fresca, y asegúrate de que esté perfectamente seca antes de que vuelva el ocupante.

DIAGNÓSTICO DE LAS DEYECCIONES
En el proceso de limpieza de tu periquito, comprueba que sus deyecciones sean normales. Las heces líquidas, o que contengan sangre o semillas sin digerir son señales de advertencia. Alterar la dieta de tu pájaro y asegurarse de que no tenga estrés puede resolver el problema, pero si éste persiste consulta con el veterinario.

Arriba: Verifica la lámina de lija por si hubiera deyecciones insanas, que son una señal de enfermedad que nunca debe ignorarse.

CONTROLES DE SEGURIDAD
Cuando limpies la jaula aprovecha para controlar si hay zonas dañadas o peligrosas. Fíjate si hay óxido y algún borde afilado o pértigas astilladas que pudieran causar lesiones, y verifica que la puerta y sus goznes sean seguros.

FUERA DE LA JAULA
Los periquitos no pueden ser adiestrados en sus acciones por la casa, por lo cual son inevitables deyecciones ocasionales en la habitación mientras disfrutan con su ejercicio de vuelo libre. La mayor parte de las deyecciones se producirán bajo sus pértigas favoritas, así pues extiende papel sobre esta zona antes de dejarle salir.

PLUMAS, PATAS

Los periquitos pasan varias horas al día componiendo sus plumas

Cuidan mucho su plumaje, limpiando y suavizando cada pluma con sus picos, ya que un pájaro con plumas sucias y torcidas no puede volar. Al mismo tiempo protegen e impermeabilizan las plumas extendiendo sobre ellas grasa procedente de una glándula situada en la parte baja del dorso. Puedes ayudar al mantenimiento de sus plumas dándole oportunidad de tomar baños regulares que las mantendrán limpias y además estimularán su acicalado.

La muda es natural

36

Como todas las aves, los periquitos mudan periódicamente sus plumas, y les crecen unas nuevas. Esto tarda algún tiempo –las plumas más pequeñas tardan unas tres semanas en volver a crecer, mientras que las más largas de la cola tardan

Arriba: El pico es el principal instrumento de acicalado de un periquito para el cuidado de las plumas.

unos dos meses–.
Durante la muda, tu mascota necesita un entorno cálido y tranquilo, y alimentos nutritivos ricos en vitaminas y minerales, para ayudarle a que las plumas de repuesto le crezcan fuertes. Si está poco nutrido en esta etapa, las nuevas plumas pueden ser débiles y poco desarrolladas.

*Arriba:
El autoacicalado es
¡un verdadero ejercicio
gimnástico!*

Y PICOS

37

Cuidado de las garras

Abajo: Las patas de un periquito son instrumentos de agarre como las manos, por lo cual deben mantenerse en buen estado.

Las garras de un periquito, como las uñas de nuestros dedos, crecen lenta pero continuamente. Por lo general se mantienen con una longitud apropiada por medio del uso. Sin embargo, los pájaros enjaulados (especialmente los más viejos, y los que están privados de pértigas de diferentes diámetros para ejercitar las patas) pueden sufrir por crecimiento excesivo de las garras, al tener dificultades para posarse en una pértiga o para trepar. Es preciso recortar las garras largas, pero es mejor dejar esta tarea al veterinario a menos que se tenga experiencia, ya que es fácil cortar los vasos sanguíneos de las garras.

Los picos también pueden ser preocupantes

38

El pico de un periquito es un instrumento esencial, que se utiliza para romper la cáscara de las semillas, para acicalar las plumas y para ayudar a trepar. Al igual que sus garras, crece durante toda su vida, y se mantiene en orden afilándolo. En ocasiones, el pico de un pájaro puede crecer en exceso (generalmente el pico superior, pero algunas veces ambos, tanto éste como el inferior) dificultándole el poder comer. Esto es más común en los pájaros más viejos. Recortar el pico es una tarea de veterinario, y un pájaro afectado puede necesitar tratamientos regulares

Izquierda: El pico es una «tercera mano» para agarrar y sujetar objetos.

Ideas
de Oro

SIN PICOTEO

Los periquitos utilizan sus picos para investigar cosas. Si tu mascota se inclina con su pico hacia ti, no apartes la mano creyendo que te va a picar. Lo más probable es que quiera controlar si tu dedo es una pértiga segura.

Arriba: Ofrecer comida regurgitada es una señal de fuerte afecto en la sociedad de los periquitos.

NATURALEZA CARIÑOSA

Los periquitos son criaturas sociales que muestran su afecto acicalándose mutuamente. Incluso pueden llegar a acicalar a su dueño, peinándole el cabello o las pestañas. Uno cariñoso puede regurgitar comida para su dueño, ¡al igual que haría con su pareja!

EL SUEÑO ES VITAL

Los periquitos necesitan dormir de 10 a 12 horas cada noche. La falta de sueño puede hacer irritable a tu mascota, o predisponerla a enfermar –igual que nos ocurre a nosotros–. Quizá sea necesario tapar su jaula por la noche, para asegurarle suficientes horas de oscuridad.

Derecha: Un paño para tapar la jaula crea una noche artificial para ampliar las horas de dormir de tu periquito.

Los periquitos están atentos al peligro

Tienen buena visión en color y puede captar detalles casi diez veces más deprisa que nosotros. Tienen un campo de visión más amplio que nosotros, con mejor visión hacia atrás (pero con peor visión frontal), diseñado para detectar la aproximación de predadores. Incluso los periquitos domésticos reaccionan ante todo lo que parezca un predador, por lo que temen las manos que se dirigen a ellos desde arriba o desde atrás. Por tanto hay que acercarse a ellos desde delante y desde abajo.

Los periquitos son naturalmente parlanchines

Son pájaros sociales, que charlan entre ellos, y que disfrutan con la conversación humana. A menudo también les gustan los sonidos de casa, incluyendo la conversación de las personas, lo cual hace posib enseñarles a hablar. Esto varía según los individuos: algunos no habla nunca, mientras que otros pueden adquirir un vocabulario extenso. Puedes estimular a tu mascota para que hable repitiendo una frase una y otra vez, exactamente de la misma manera. Para obtener los mejores resultados las sesiones deben ser cortas, frecuentes y periódicas.

COMPRENDE
A TU PERIQUITO

Cómo sujetar a tu periquito

Para cualquier pájaro, excepto para los más domesticados, ser sujetado por una mano es una experiencia estresante. Sin embargo, alguna vez puede ser necesario sujetar a tu mascota. Coloca una mano por detrás de su dorso y dobla tus dedos alrededor suyo, sujetando las alas cerca de su cuerpo, con tus dedos índice y mayor a cada lado de su cabeza, y tus otros dedos rodeando su abdomen. Pide a los especialistas de tu tienda de mascotas que te demuestren la técnica si tienes alguna duda.

Para un periquito trepar es tan natural como volar

Al igual que todos los miembros de la familia de los loros, tienen patas especialmente adaptadas para agarrar y trepar. Generalmente, les gusta cubrir las distancias cortas trepando, y las más largas volando. Los pájaros enjaulados necesitan el estímulo de otros para hacer ejercicio volando, y es posible que un periquito aislado no se mantenga en buena forma física al no utilizar suficientemente sus alas. Es probable que dos periquitos juntos estén más sanos y activos que uno solo.

Izquierda: Las patas y los picos de los periquitos han sido diseñados como ayudas para trepar, apropiados para una vida en las copas de los árboles, y serán utilizados de la misma manera en una jaula, siempre que los barrotes proporcionen una estructura adecuada para este ejercicio.

Ideas de Oro

SALUD Y

BULTOS E HINCHAZONES

Siempre debe verlos un veterinario, pues pueden requerir intervención quirúrgica. Los periquitos son tristemente propensos a bultos y tumores, pero también pueden ser causados por abscesos, quistes o hernias, que a menudo pueden ser tratados con éxito.

ANILLOS EN LAS PATAS

Los periquitos criados por expositores suelen tener un anillo metálico en una pata con un número de identificación. Si tu periquito lleva un anillo, contrólalo regularmente, para que no le apriete si crece o le roza demasiado, en cuyo caso el veterinario tendría que cortar el anillo.

Dedica tiempo para realizar un chequeo diario de salud

Esto te permitirá detectar cualquier síntoma en una fase inicial. Vigila cualquier cambio en el comportamiento de tu mascota. Generalmente un periquito enfermo estará aletargado y se acurrucará en un rincón de la jaula. La pérdida de apetito y las plumas descuidadas y erizadas no deben ignorarse. Otras señales serias de advertencia incluyen un ano sucio o llagado, una respiración ruidosa, secreciones por los orificios nasales, cojera, deyecciones anormales y cara o patas encostradas.

Arriba: Controla las deyecciones por si hubiera cualquier anormalidad.

Arriba: Los anillos en las patas no suelen causar problemas, pero deben controlarse.

DEYECCIONES DISTINTIVAS

Un cambio en la apariencia de las deyecciones de tu pájaro es una señal obvia de que algo va mal. La diarrea benigna está causada frecuentemente por problemas digestivos, y puede resolverse reduciendo alimentos tales como verduras y frutas, pero los casos graves exigen tratamiento veterinario.

Los pájaros enfermos deben ser atendidos rápidamente

El estado de un pájaro enfermo puede deteriorarse con sorprendente rapidez, por lo cual es vital llevar a tu periquito al veterinario a la primera señal de enfermedad. Muchas afecciones de periquitos tienen síntomas similares y confusos, por tanto es importante un diagnóstico profesional. Como primeros auxilios, hasta que visites al veterinario, los elementos más importantes son el calor y la tranquilidad. Una luz atenuada (pero sin llegar a una oscuridad completa) también ayudará a calmar al pájaro indispuesto y le estimulará a descansar.

ENFERMEDADES

Piojos, ácaros y parásitos

Los parásitos causan diversas enfermedades desagradables.
Los piojos de las plumas, los ácaros rojos y otros parásitos pueden
causar pérdidas o daños a las plumas. Los abscesos costrosos o
escamosos en los picos o las patas son el resultado de infestación
por otro tipo de ácaros. Deben recibir tratamiento veterinario, y
además se ha de desinfectar la jaula y todo su contenido para evitar
una reaparición de la infección. Si tienes más de un pájaro, debes
tratarlos a todos, aun cuando sólo uno parezca afectado.

Derecha: La «cara escamosa», causada por infestación de ácaros, exige un tratamiento rápido para evitar deformidades graves del pico.

Abajo: Una pequeña caja de transporte es el medio más seguro para llevar tu mascota al veterinario.

Problemas respiratorios

La respiración ruidosa y
entrecortada, quizá unida
a una descarga líquida
por los orificios nasales, exige tratamiento con
antibióticos. Si no puedes ir inmediatamente al
veterinario, coloca al pájaro en una caja ventilada y
mantenlo caliente. Una olla de vapor cerca puede
ayudarle a respirar más fácilmente. Algunas
enfermedades respiratorias de los pájaros
pueden transmitirse a las personas, por
consiguiente si tú empiezas a tener
problemas respiratorios, informa a tu
médico de que tienes un pájaro
mascota en la casa

Izquierda: Las cajas de transporte transparentes deben taparse con un paño, para disminuir la alarma que produce el viaje.

CONSEJOS PARA CRIAR

Abajo: Una caja-nido hecha específicamente para periquitos ha sido diseñada para imitar una cavidad en un árbol, que sería la primera elección del pájaro en la naturaleza.

Puerta deslizante

Caja-nido de madera contrachapada

Agujero de entrada

Pértiga

Ventana deslizante para inspección

Concavidad en la madera (donde se ponen los huevos)

Piénsalo antes de criar

La mayoría de dueños de mascotas estará contentos disfrutando de la compañía de sus periquitos sin hacerles criar. Si decides que tus mascotas críen, necesitarás tiempo y compromiso, un alojamiento adecuado para más pájaros, y una fuente de buenas casas para los descendientes. Cría sólo a partir de pájaros sanos y mansos. Ya hay muchos más periquitos criando que buenos hogares para ellos, por consiguiente no aumentes el número de mascotas no deseadas.

Los periquitos no construyen nido

En la naturaleza, ponen sus huevos en agujeros en los árboles o entre rocas; en cautividad necesitan una caja-nido especial. Pueden poner dos o tres nidadas al año de cinco a seis huevos cada vez, escalonada en días alternos. Eclosionan con intervalos de dcs días después de una incubación de 18 días, y de los cascarones salen pollitos desnudos e indefensos. Ambos padres alimentan a los pollitos, que se desarrolla rápidamente y están listos para dejar el nido a las seis semanas.

Cuidado de los pollitos

Los periquitos pueden criar a la edad de dos meses, pero no hay que permitirlo hasta que tengan diez meses. Los pájaros de aviario escogerán sus propias parejas. Si sólo tienes una pareja, necesitarán una jaula de cría con una caja-nido diseñada para periquitos. La hembra necesitará alimentación especial mientras pone los huevos, los incuba y cuida de los pollitos. Cuando las crías abandonen el nido, ella estará a punto para criar de nuevo. Dos nidadas seguidas es suficiente: después de esto, aparta la caja-nido para que descansen.

A los pollitos les crecen pronto las plumas

Cría de los jóvenes

Los pollitos de periquito son frágiles y no hay que manejarlos antes de las dos semanas de edad. De ahí en adelante será necesario moverlos para limpiar la caja-nido y para verificar su salud. Para ayudarles a crecer se les dará alimentación especial con proteínas extras. Una vez que dejen la caja-nido, se les separará de sus padres, para evitar que estorben la próxima nidada. Hay que separar a los machos de las hembras a las doce semanas.

CAJAS-NIDO

Los periquitos necesitan cajas-nido que midan alrededor de 25 x 15 x 15 cm, con un pequeño agujero de entrada, con pértiga debajo. En el suelo de la caja deberá haber una concavidad para acomodar los huevos. Lo ideal es que la parte superior de la caja pueda abrirse para inspección y para facilitar la limpieza.

HIGIENE Y SALUD

Es preciso controlar periódicamente a los polluelos, para que la suciedad no se enganche a sus patas o dentro de sus picos, pues eso podría causar deformidades. Sumerge las patas sucias en agua templada para ablandar la suciedad antes de eliminarla cuidadosamente. Los picos sucios pueden limpiarse suavemente con un palillo.

PROBLEMAS CON LOS HUEVOS

Si una hembra se esfuerza sin éxito para poner un huevo que ha quedado atascado, necesita asistencia veterinaria. Una hembra no apareada puede poner huevos estériles, y es mejor dejárselos para que los incube infructuosamente, ya que retirárselos sólo serviría para animarla a poner más, y quedaría exhausta.

Agradecimientos

La autora y el editor desean manifestar su agradecimiento más sincero a Jackie Wilson de Rolf C. Hagen (UK) Ltd quien suministró el equipamiento para las fotografías de este libro. Gracias también a los modelos Bronwyn y Stephanie McGuire, Victoria y Louise Etheridge y Danielle Taylor, a Hassocks Pet Centre, West Sussex por facilitar una caja-nido para fotografiar, y a Peter Dean y Andrea Margrie, de Interpet Ltd, por su ayuda en las composiciones fotográficas.

Créditos de fotografías

La mayoría de fotos reproducidas fueron hechas por Neil Sutherland específicamente para este libro, y son copyright de Interpet Publishing. Todas las demás también son copyright de Interpet Publishing, excepto las siguientes:
Frank Lane Picture Agency: páginas 5 arriba (David Hosking), 7 centro (Foto Natura Stock / J & P Wegner), 7 abajo (A.R. Hamblin), 8 arriba (A.R. Hamblin), 29 arriba a la derecha (A.R. Hamblin), 31 (H.V. Lacey). RSPCA Photolibrary: página 20 abajo (Angela Hampton).

Título de la edición original: **Gold medal guide: Budgie.**

Es propiedad, 2004
© Interpet Publishing Ltd.

© de la traducción: **Fernando Ruiz Gabás.**

© de la edición en castellano, 2006:
Editorial Hispano Europea, S. A.
Primer de Maig, 21 - Pol. Ind. Gran Via Sud
08908 L'Hospitalet - Barcelona, España.
E-mail: hispanoeuropea@hispanoeuropea.com

Depósito Legal: B. 13111-2006.

ISBN: 84-255-1651-X.

Consulte nuestra web:
www.hispanoeuropea.com

IMPRESO EN ESPAÑA   PRINTED IN SPAIN
LIMPERGRAF, S. L. - Mogoda, 29-31 (Pol. Ind. Can Salvatella) - 08210 Barberà del Vallès

32